LE LIVRE des SUPER COPAINS !

Textes d'Emmanuelle Lepetit

Illustrations de Pascal Vilcollet

FLEURUS

« À Charles, mon explorateur junior,
et à ses deux meilleurs super copains,
Max et Valentin ! »

Emmanuelle Lepetit

« À tous les super héros du cinq sept,
Pauline, Fred, Benjamin et Max. »

Pascal Vilcollet

FLEURUS

Direction : Guillaume Arnaud
Direction éditoriale : Sarah Malherbe
Édition : Anna Guével
Direction artistique : Élisabeth Hebert
Création graphique : Elfried Werner
Mise en pages : Rodolphe Duprey
Fabrication : Thierry Dubus, Marie Guibert

© Fleurus, Paris, 2010,
pour l'ensemble de l'ouvrage.
Site : www.fleuruseditions.com
ISBN : 978-2-2150-4885-5
N° d'édition : 10038
MDS : 651 342

INTRODUCTION

Il était une fois un petit garçon qui devenait de plus en plus grand... Débordant d'énergie, des blagues plein les poches et les yeux pétillants, il aimait par-dessus tout et dans le désordre : ses copains, le foot, les vacances, ses parents, faire des farces, le chocolat, les châteaux forts, les balades dans les bois... et plein d'autres choses encore. Plus tard, il rêvait souvent de devenir : explorateur, astronome, spationaute, pompier... Mais, en attendant, ce qu'il préférait, c'était quand maman et papa se penchaient sur lui le soir, quand il était blotti dans son lit, pour lui faire un gros bisou.

Ce petit garçon te rappelle quelqu'un ? Alors chausse tes bottes de sept lieues : il est temps de partir à l'aventure !

SOMMAIRE

CHAPITRE 3

CHAPITRE 4

CHAPITRE 5

JE SUIS UN SUPER HÉROS

Toi, tu as les yeux dans les étoiles et les pieds bien sur terre. Tu adores courir, sauter, jouer au foot, grimper aux arbres, faire le fou avec tes copains. Tu aimes aussi te raconter des histoires, frissonner dans le noir et imaginer de merveilleuses aventures. Des légendes de chevaliers, de spationautes, de cow-boys et d'Indiens...

Sais-tu que tu as toute la panoplie pour devenir un super héros de la vie ?
Voici quelques activités qui te permettront d'être encore plus fort, encore plus curieux et d'épater tout le monde. Tu es prêt pour ton entraînement de super héros ? Alors, c'est parti !

Super Actif fait du sport

Tennis, foot, judo, gambades et course à pied, Super Actif adore se dépenser. Il va t'apprendre à transformer ton vélo en vrai bolide de super héros !

Le matériel :

- des stickers
- 1 paquet de pailles multicolores
- du papier d'aluminium
- la figurine de ton super héros préféré
- de la ficelle

1 Lave ton vélo à l'eau savonneuse, puis astique-le avec un chiffon. Il faut que ça brille ! Une fois que le cadre est sec, dispose tes autocollants dessus.

2 Emboîte sur les rayons les pailles que papa a entaillées, en alternant les couleurs : une rouge, une bleue, une verte... Ainsi, quand tu pédaleras, tes roues tourneront en jetant des éclairs de couleur !

3 Recouvre les garde-boue avec le papier d'aluminium en appuyant bien. Wouah ! te voilà avec des garde-boue chromés !

4 Attache la figurine avec la ficelle sur la fourche de ton vélo. Tu peux tendre ses bras en avant, comme ceux de Superman ! Quelle allure ! Il ne te reste plus qu'à sauter en selle !

BON PIED, BON ŒIL !

Pour compléter son entraîne-ment, Super Actif s'est inscrit à plusieurs sports cette année dans les clubs de son quartier :

• Du judo pour se défouler et devenir souple comme un ninja.

• Du tennis pour développer ses muscles, ses réflexes et ses yeux de lynx.

• Chaque samedi matin, il va à la piscine pour apprendre à nager.

• Et il joue au foot avec ses copains chaque fois qu'il le peut.

CHERCHE LES INTRUS

• Parmi tous ces sports, il y en a seulement deux que tu ne peux pas pratiquer à ton âge. Devine lesquels :

escalade - équitation - trampoline - roller - basket - escrime - gymnastique - athlétisme - karaté - judo - musculation - football - tennis - voile - natation - ski - kayak - rugby - hockey sur glace - lutte - handball - patinage.

Réponse : athlétisme (à partir de 8 ans) et musculation (pas avant 16 ans).

• Parmi ces sports, lesquels sont tes préférés ?

SUPER FAIM de LOUX dévore

C'est l'heure de passer à table ! Aujourd'hui, Super Faim de Loux te propose un menu gaulois équilibré, avec potion magique à la clé. Exactement ce qu'il te faut pour recharger tes batteries et gagner le prochain concours de lancer de menhir !

Ingrédients pour les Crudités à la fondue de petits-suix :

- 1 chou-fleur, des radis, des carottes, tous les légumes dont tu as envie...
- 6 petits-suisses
- 100 g de roquefort
- 100 g de crème fraîche
- 2 cuillères à soupe de vinaigre
- sel, poivre

1 Dans un grand saladier, commence par écraser le roquefort à la fourchette.

2 Quand il est tout broyé, verse la crème, les petits-suisses et saupoudre de poivre, sans oublier une pincée de sel. Maman ajoute le vinaigre. Écrase et mélange tout ensemble pour obtenir une sauce épaisse. Ta mixture est prête à être dégustée avec les crudités !

LA SUITE DU MENU DE SUPER FAIM DE LOUX

Plat : poulet rôtix à la mode d'Astérix, avec ses frites spécial ketchoupix, mais sans mayonnix (tu ne veux tout de même pas devenir aussi dodu qu'Obélix !).

Dessert : fruix ou yaourtix.

Pour avoir une vraie faim de loup, Super Faim de Loux évite de grignoter entre les repas. C'est plus rigolo de se régaler à table avec les autres que de manger tout seul à la va-vite un peu n'importe quoi. Ensuite, on n'a même plus faim quand on passe à table.

Euh... sauf Obélix, évidemment !

RESTO

EN EXCLUSIVITÉ, LA RECETTE SECRÈTE DE LA POTION MAGIX

Dans une marmite, verse quatre verres de jus d'orange, deux verres de jus d'ananas et deux verres de jus de pamplemousse. Ajoute trois cuillères à soupe de sirop de menthe. Remue bien avec une cuillère en bois. Ajoute une demi-bouteille d'eau gazeuse : oups, ça fait des bulles !
Sers cette potion vitaminée avec une louche à tes invités.
La fête peut commencer !

SUPER MUSICIEN improvise

Des maracas, une guitare, un tam-tam :
Super Musicien est un orchestre à lui tout seul !
Ce soir, tu as prévu un grand concert pour toute
ta famille ? Super Musicien t'aide à fabriquer
des maracas pour faire la fiesta !

Le matériel :

- **4 pots de yaourt
  en plastique vides**
- **1 poignée de riz**
- **1 poignée de sel fin**
- **de la colle**
- **des gommettes**
- **des feutres**

Attention : tes pots doivent être bien secs à l'intérieur
pour que le sel ou le riz ne s'agglomère pas.

❶ Verse le riz dans un des pots. Colle un autre pot
par-dessus pour fermer ta maraca.

❸ Répète la même opération avec le sel fin.

❷ Tu peux décorer les maracas avec tes feutres ou des
gommettes.

❹ Secoue tes maracas en alternance : celle avec le riz
fait **« tchic, tchic, tchic »** ; celle avec le sel,
« tcha, tcha, tcha ».
Tu peux ainsi jouer de la musique brésilienne !

UN ARTISTE EN HERBE

N'oublie pas de créer une affiche peinte pour annoncer ton spectacle. Et si tu veux jouer de la vraie musique, inscris-toi à un cours. Super Musicien fait du solfège et de la guitare tous les mercredis !

TA GUITARE

Prends une boîte de mouchoirs vide, entoure-la de cinq gros élastiques. Centre bien les élastiques au-dessus de l'ouverture de la boîte. Il te suffira de les gratter ou de les pincer, comme des cordes de guitare, pour produire des sons.

TON TAM-TAM

Demande à maman de couper en deux une bouteille en plastique. Prends la partie du bas et couvre l'ouverture avec des bandes de Scotch marron bien tendues que tu entrecroises. Il ne te reste plus qu'à taper sur ton tam-tam du bout des doigts.

super spatial explore

Quand la nuit tombe, mille étoiles s'allument dans le ciel. Super Spatial t'invite à décoller pour le plus beau des voyages...

1 Pour voir la Lune de près, comme si tu la survolais en fusée, tu peux te fabriquer un mini télescope. C'est très simple ! Pose le miroir incurvé sur le sol ou sur une table et dirige-le vers la Lune.

2 Tiens le miroir plat en face du miroir incurvé pour que l'image de la Lune se réfléchisse dessus.

3 Observe cette image à travers la loupe : les cratères et les montagnes de la Lune défilent devant tes yeux ! Aperçois-tu la mer de la Tranquillité ? C'est là qu'en 1969 le premier homme a marché sur la Lune...

DU REPOS POUR
LES EXPLORATEURS DE L'ESPACE !

Quand Super Spatial est fatigué, il se glisse bien au chaud dans son lit, il ferme les yeux et il imagine qu'il enfourche une comète. Direction : la Voie lactée ! Le matin, il se réveille en pleine forme, avec des étoiles plein les yeux !

MA BANDE DE PIRATES !

Avec tes copains, c'est l'aventure tous les jours !
Ensemble, vous formez une fine équipe de flibustiers.
Vous êtes tous différents, mais tous unis pour la vie !
Pas de petites bagarres entre vous, mais des courses-
poursuites échevelées, des défis de forbans.
Certaines filles sont aussi admises dans
votre groupe et, quand toute ta bande
débarque chez toi, c'est la fête.

Tiens bon la barre, capitaine, et hisse
haut ton drapeau : tu vas leur
en faire voir de toutes
les couleurs !

Mystère sur le navire

Avec tes copains, métamorphosez-vous en affreux pirates le temps d'un après-midi. Plus personne ne doit vous reconnaître !

❶ Les pirates déchirent souvent leurs habits au cours des combats. Découpez les manches de vos vieux tee-shirts et taillez le bas de vos pantalons usés en zigzag avec les ciseaux.

❷ Prenez chacun une grande feuille de papier et dessinez une horrible tête de mort au crayon. Une fois le dessin terminé, repassez les lignes au feutre. Découpez la forme avec les ciseaux, puis collez-la sur vos tee-shirts avec le Scotch double face.

❸ Découpez un rond dans du papier ou du tissu noir avec les ciseaux. Scotchez un lacet, un ruban ou un élastique derrière : il ne vous reste plus qu'à mettre votre bandeau sur l'œil !

❹ Complétez votre tenue avec tous les trésors que vous avez dénichés : ceintures, foulards, bijoux... **Et que la fête commence !**

Le matériel :

- de vieux tee-shirts et des pantalons usés (demande à tes parents avant !)
- de grandes feuilles de papier
- des crayons et des feutres
- des ciseaux et du Scotch double face
- du papier ou du tissu noir
- des foulards, des ceintures, des bijoux...
- des lacets, des rubans, des élastiques

DANS LA PEAU DE TON PERSONNAGE...

Pendant quelques heures, tu vas pouvoir être une autre personne : profites-en !

Imagine-toi une histoire.

Comment es-tu devenu pirate ? Es-tu un vilain contrebandier sans foi ni loi, ou un orphelin qui a été recueilli par les pirates quand il était tout petit ?

Quel est ton caractère : joyeux, téméraire, sournois, trouillard, farfelu ?

Avec tes copains, invente une aventure dans laquelle vous jouez chacun un personnage différent. Vous allez bien vous amuser !

UN MAQUILLAGE DE FLIBUSTIER

Il te faut : un fard noir, un crayon noir bien gras, une petite éponge... et l'aide d'une maman pirate !

• Les pirates sont mal rasés. Trempez l'éponge dans l'eau, essorez-la bien, puis tamponnez-vous les joues et le menton de fard noir.

• Les pirates dorment peu et ont des cernes : avec l'éponge, dessinez une légère ombre noire sous vos yeux.

• Les pirates se battent tout le temps : avec le crayon noir, tracez des balafres sur votre visage et votre cou.

23

À l'abordage !

C'est bien connu : les pirates étaient de sacrés bagarreurs. Ils avaient deux armes de prédilection : le sabre et le poignard. Voici comment les fabriquer. En garde, moussaillon !

Le matériel :

- du carton d'emballage
- du papier d'aluminium
- de la peinture ou des feutres
- 1 crayon à papier
- du Scotch double face
- des ciseaux
- ... et même des stickers de fille !

❶ Dessine au crayon à papier la forme d'un sabre et d'un poignard sur le carton.

❷ Papa ou maman va t'aider à découper la forme aux ciseaux.

❸ Recouvre la lame de tes deux armes avec le papier d'aluminium que tu fixes à l'aide du Scotch.

❹ Il ne te reste plus qu'à décorer les manches de tes armes : en marron ou en noir, avec des motifs dorés, par exemple. Tu peux utiliser des stickers pour imiter des pierres précieuses incrustées dans le bois.

BATAILLE NAVALE !

À présent que tout le monde est équipé, la bagarre peut commencer. Forme deux équipes. Chaque bande se juche sur son navire (un matelas en mousse, par exemple).

LE CLAN DE CROCHET PROVOQUE LE CLAN DE VIEILLEBARBE ! « Poules mouillées ! » « Marins d'eau douce ! » Les insultes fusent et l'on passe à l'attaque : coups de canon (des balles en mousse) et sabre au clair, c'est la mêlée ! Attention à ne pas vous faire mal pendant le combat : ne visez jamais la tête et ne donnez pas de vrais coups. Comme vous, les pirates se battaient souvent entre copains. Ils se réconciliaient toujours à la fin : pour être un pirate digne de ce nom, il faut avoir un cœur noble et savoir pardonner à ses ennemis ou à ses amis !

Le trésor du pirate

Un pirate possède toujours un fabuleux trésor qu'il enfouit dans une cachette secrète. Mais il n'oublie jamais de dessiner une carte pour aider ses complices à le retrouver. À toi de jouer !

Le matériel :

- des confiseries et des petits jouets
- 1 boîte à chaussures
- des crayons et de la peinture
- des gommettes dorées
- du papier blanc et du rouge

LE TRÉSOR

Rassemble ton butin : des pièces d'or en chocolat, des bonbons enveloppés de papier argenté, des petits jouets...

LE COFFRE SECRET

Peins la boîte à chaussures en marron. Laisse-la bien sécher. Puis colle les gommettes dessus pour la faire ressembler à un vieux coffre. Recouvre l'intérieur de papier rouge.

LA CACHETTE

Une fois ton coffre terminé, dépose ton trésor à l'intérieur. Cherche une bonne cachette pour le dissimuler : dans un placard de ta maison, sous une latte du plancher, enterré au fond de ton jardin, enfoui dans un arbre creux...

LE PLAN

Dessine le plan de ta maison ou de ton jardin. Trace un parcours fléché en indiquant les endroits où tu vas dissimuler des indices. Tes copains devront découvrir tous les indices pour deviner l'emplacement exact de ton trésor.

TOUS POUR UN,
UN POUR TOUS !

Après avoir préparé ta carte au trésor un jour que tu es tout seul à la maison, tu t'amuseras encore mieux avec tes copains !

Imagine une histoire que tu leur raconteras pour démarrer le jeu :

tu es le capitaine Jambenbois, le plus riche pirate des Caraïbes. Des ennemis t'ont fait prisonnier et se sont emparés de ta carte. Ils sont en quête de ton trésor.

Heureusement, tes fidèles pirates possèdent un double de ta carte. Eux aussi se lancent à la recherche du trésor.

Qui le trouvera en premier ?

TES INDICES

Si tu as enterré ton trésor au pied du noisetier qui est au fond de ton jardin, voici un exemple d'indices :

INDICE 1 : « Je fais de l'ombre »
INDICE 2 : « Et l'écureuil m'aime bien »
INDICE 3 : « Tout au fond du jardin »
INDICE 4 : « Pars de la plus grosse racine »
INDICE 5 : « Fais quatre pas à gauche »
INDICE 6 : « Et creuse ! »

Tu peux aussi dessiner les indices !

sur une île déserte...

Ta bande de pirates a fait naufrage la nuit dernière ! Vous voici échoués sur une île inhabitée au milieu de l'océan. Il n'y a pas de temps à perdre : il faut hisser votre pavillon et surveiller l'horizon. Qui viendra vous secourir ?

1 Commencez par fabriquer des longues-vues : peignez en noir les rouleaux d'essuie-tout en carton. Laissez-les sécher.

2 Confectionnez-vous un drapeau : tendez bien à plat le grand chiffon blanc. Au centre, dessinez l'emblème de votre bande au crayon à papier : une tête de mort, deux sabres entrecroisés, un dauphin, un cœur...

3 Quand vous êtes contents du dessin, repassez les contours au feutre noir. Badigeonnez votre drapeau de peinture noire, en laissant juste l'intérieur de votre dessin en blanc. Laissez bien sécher.

4 Nouez deux côtés du drapeau en haut du manche à balai. L'un de vous se chargera de le secouer à bout de bras lorsqu'un navire apparaîtra à l'horizon !

Le matériel :

- des rouleaux d'essuie-tout vides
- de la peinture noire
- 1 grand chiffon blanc
- 1 crayon et des feutres
- 1 manche à balai

TOUT LE MONDE PARTICIPE !

La vie sur une île déserte est très difficile. Il faut chasser sa nourriture, trouver de l'eau potable, construire un bivouac pour dormir, se protéger des bêtes sauvages...

La meilleure façon de s'en sortir, c'est d'avoir l'esprit d'équipe. Chacun doit avoir une mission à remplir. Tes copines aussi : elles peuvent jouer le rôle des sirènes, par exemple, car il y en a toujours sur une île déserte ! Toi qui es le capitaine, tu dois faire attention à ne laisser personne à l'écart ou ne pas faire de jaloux en passant tout ton temps avec ton meilleur copain. C'est ta responsabilité de chef ! Si vous vous en sortez en pleine forme, cela prouvera que votre bande est vraiment unie et solidaire. FÉLICITATIONS !

MA MAISON MAGIQUE

Les plus grands super héros et les pirates les plus terribles ont besoin de repos et de câlins de temps en temps. Ils aiment alors se blottir entre les bras de maman, fermer les yeux et se sentir protégés et bien au chaud. Ils ont aussi un Super Papa aux pouvoirs extraordinaires.

Et parfois aussi des frères et sœurs : quand ils sont petits, ils peuvent être vraiment embêtants, mais ils sont si drôles. Quand ils sont plus grands, ils peuvent t'apprendre des trucs étonnants.

Ensemble, à la maison, il y a plein de façons de s'amuser et de mettre de la magie dans la vie de tous les jours. À toi de jouer !

31

Ma famille fantastique

Aujourd'hui, tu vas t'amuser à imaginer et à fabriquer le jeu des sept familles les plus rigolotes de la Terre !

Le matériel :

- **42 cartes en papier bristol (8 x 13 cm environ)**
- **du film transparent autocollant**
- **1 crayon à papier**
- **des feutres ou des crayons de couleur**

❶ Forme sept paquets de six cartes. Chaque paquet représente une famille, composée de six personnages : le père, la mère, le fils, la fille, le grand-père et la grand-mère.

❷ Imagine le nom original que tu veux donner à chaque famille et écris-le en haut des cartes de chaque paquet.

❸ À présent, dessine tes personnages. N'oublie pas d'ajouter des détails amusants : par exemple, des grosses lunettes au père de la famille Je-sais-tout ou une jambe dans le plâtre au fils de la famille Casse-cou !

❹ Sous chaque dessin, écris le nom de ton personnage : « Le père », « La mère », « Le fils »...

❺ Enfin, recouvre les cartes avec le film transparent pour bien les protéger !

TA FAMILLE À TOI...

Tu peux aussi t'amuser à faire le portrait de ta famille à toi sur des petites cartes.

Donne-lui un nom imaginaire et dessine tes parents, tes grands-parents, tes tantes ou tes oncles, tes frères et sœurs...

Tu remarques que chacun a son caractère bien à lui. Une famille, ce sont des gens différents qui s'aiment, même si parfois ils se chamaillent.

Tu peux ensuite coller toutes ces cartes sur un tableau à accrocher dans ta chambre : ce sera ton arbre généalogique à toi !

DES FAMILLES FARFELUES !

Tu peux classer tes familles :

• par métier ou par objet : familles Tambour, Casserole, Stéthoscope, Baguette-magique...

• par trait de caractère : familles Tête-en-l'air, Fait-du-bruit, Toujours-pressée, Rigole-jamais...

• par nom : en -ouille (familles Fripouille, Bonne-bouille, Ratatouille...), en -ail (Pagaille, Bataille...).

À toi de trouver d'autres idées farfelues : **IL Y EN A PLEIN !**

Ma cachette secrète

Dans ta maison, il y a un endroit encore plus magique que les autres : ta chambre. C'est ton repaire, ton antre secret, ton QG de Super Espion !

UN QG, C'EST QUOI ?

Cela veut dire « quartier général ». Tous les agents secrets en ont un : c'est là qu'ils se reposent, lisent le journal ou des romans d'espionnage, préparent leurs prochaines aventures et gardent leurs documents secret-défense. Voici quelques astuces pour les dissimuler en toute sécurité.

LA RECETTE DE L'ENCRE SYMPATHIQUE

Trempe un pinceau dans du jus de citron, puis écris ou dessine ton message sur une feuille blanche. Laisse bien sécher. Miracle : ton message est invisible ! Pour le déchiffrer, tes complices n'auront qu'à approcher la feuille d'une ampoule allumée.

LE CODE B-ALPHA

C'est le code international des agents secrets. Utilise la grille de codage ci-contre pour rédiger des messages incompréhensibles : tu remplaces le A par le Z, le B par le Y... Seuls tes complices, qui posséderont le double de cette grille, pourront les déchiffrer !

Ce sont tes copains. Ou bien ton frère ou ta sœur avec qui tu partages peut-être ta chambre.

Comme toi, la plupart des agents secrets partagent leur QG avec d'autres espions.

Pour se reconnaître, ils se donnent des noms de code : 001, 002, 003...

GRILLE DE CODAGE B-ALPHA

A = Z	B = Y	C = X	D = W	E = V	F = U
G = T	H = S	I = R	J = Q	K = P	L = O
M = N	N = M	O = L	P = K	Q = J	R = I
S = H	T = G	U = F	V = E	W = D	X = C
Y = B	Z = A				

TEST D'ESPION

Que signifie ce message ?
« Q'ZR NRH WVH YLMYLMH HLFH OV XZMZKV WF HZOLM ! »

Réponse : « J'ai mis des bonbons sous le canapé du salon ! »

Ma recette surprise

Tous en cuisine ! Ce soir, c'est la fête dans ta maison magique. Et pour la célébrer, tu vas créer une drôle de maisonnette... belle à croquer !

Les ingrédients :

- 1 plateau recouvert de papier d'aluminium
- 1 concombre
- 1 poivron rouge
- des tomates cerises
- des cœurs de palmier
- 1 branche de céleri
- 1 boîte de maïs et 1 boîte de haricots verts
- des olives noires
- du gruyère

❶ À plat sur le plateau, commence par former le mur de la maison en alignant des bâtonnets de cœurs de palmier. Au milieu du mur, pose un morceau de gruyère qui va servir de porte. Fais sa poignée avec une olive. Réalise deux fenêtres en rondelles de concombre. Dispose deux triangles de poivron rouge pour faire le toit.

❷ Range les haricots au pied de la maisonnette : quelle belle pelouse ! Parsème-la de grains de maïs : ce sont des boutons-d'or pour décorer ton jardin.

❸ À côté de la maison, dresse la branche de céleri pour faire un arbre, avec des tomates cerises qui seront ses fruits.

❹ Il ne te reste plus qu'à déguster cette belle maison avec toute ta famille, en trempant les légumes dans toutes sortes de sauces fantaisie : à la tomate (ketchup), au fromage blanc... **BON APPÉTIT !**

UNE RECETTE À ADAPTER...

Tu n'es pas prisonnier de cette recette : tu peux aussi suivre ton imagination et utiliser d'autres ingrédients.

Avis aux gourmands : il est aussi possible de réaliser une maison sucrée avec des fruits, des bonbons, des biscuits, du pain d'épice et des morceaux de chocolat !

UNE MISSION POUR CHACUN

Toute la famille peut participer à la réalisation de la maison : les grands s'occupent de tailler les légumes, d'ouvrir les boîtes de conserve, d'utiliser les couteaux pointus... **ATTENTION, ÇA COUPE !**

Toi, tu es l'artiste qui décore et dispose les ingrédients. Si tu as un petit frère ou une petite sœur, propose-lui d'être ton assistant et de t'aider !

Abracadabra !

Ce soir, le grand sorcier de la maison magique va donner une représentation exceptionnelle. Voici un tour de magie à répéter pour épater toute ta famille !

Le matériel :

- **1 boîte d'allumettes pleine**
- **2 boîtes d'allumettes vides**
- **2 élastiques**

LES ALLUMETTES INVISIBLES

1 Avant le tour, glisse la boîte pleine sous ta manche droite, en la fixant autour de ton avant-bras avec les élastiques. Pose les deux boîtes vides devant toi sur la table.

2 Au moment du spectacle, montre ces deux boîtes à tes spectateurs en annonçant que l'une est pleine, l'autre vide.

3 Pour le prouver, prends la boîte de gauche avec ta main gauche et secoue-la : il n'y a pas de bruit, elle est vide. Prends la boîte de droite avec ta main droite et secoue : le public entend le bruit des allumettes cachées sous ta manche et croit que la boîte que tu tiens dans la main est pleine !

4 Mélange les boîtes en prononçant des formules magiques et demande à un spectateur de te désigner la pleine... **Il ne la trouvera jamais !**

ENCORE ! ENCORE !

Faire la fête en famille, c'est plus rigolo que de regarder la télévision.

Tout le monde va certainement adorer ton spectacle et vouloir que tu en fasses beaucoup d'autres.

À la bibliothèque ou en librairie, tu trouveras des livres de magie, ainsi que de nombreux autres ouvrages qui te donneront plein d'idées !

LE DOIGT ENCHANTÉ

Le matériel : une assiette creuse remplie d'eau, du poivre moulu, du liquide vaisselle.

• Avant le spectacle, verse du liquide vaisselle dans un bol que tu caches derrière toi.

• Pose l'assiette d'eau sur la table. Devant ton public, saupoudre-la de poivre et annonce que toi seul, grâce à tes pouvoirs de grand sorcier, peux faire fuir le poivre rien qu'en trempant ton doigt dans l'eau !

• Invite tes spectateurs, l'un après l'autre, à tremper leur doigt : rien ne se produit. Pendant qu'ils sont occupés à faire plouf-plouf, plonge l'index de ta main droite dans le produit vaisselle.

• Demande à ton public de se rasseoir. Puis trempe ton index dans l'assiette en prononçant une formule magique : le savon va former un film invisible à la surface de l'eau qui va repousser les grains de poivre vers l'extérieur !

QUAND JE SERAI GRAND, JE SERAI...
AVENTURIER DE LA NATURE !

Autour de toi, il y a des maisons, des routes, des voitures, des trains... Plein de machines à moteur qui vont très vite et font beaucoup de bruit !

Mais il y a aussi, quand tu t'enfonces dans la nature, de grands arbres silencieux, des fougères et des fleurs, des animaux étranges, des montagnes, des océans. Face à toutes ces merveilles, tu te sens tout petit, mais en même temps très vivant. Tu aimerais percer les secrets de la nature et lui rendre quelques petits services en échange de l'énorme cadeau qu'elle t'offre tous les jours : celui de la vie.

Alors suis notre guide, petit Robinson...

L'aventurier découvre

Lorsque tu te balades en forêt ou à la campagne, tu aimes cueillir les plantes, les fleurs ou les feuilles tombées des arbres. Et si tu fabriquais un herbier pour collectionner tes trésors ?

Le matériel :

- 1 vieil annuaire
- quelques grosses pierres
- 1 grand cahier
- de la colle blanche
- 1 pinceau

❶ De retour à la maison, place vite tes plantes entre les pages du gros annuaire. Prends soin de laisser plusieurs pages libres entre deux plantes.

❷ Referme l'annuaire et place-le sur une étagère sous les grosses pierres. Attends quinze jours...

❸ Une fois que tes plantes sont sèches, manipule-les avec précaution car elles sont très fragiles. Utilise le pinceau pour les enduire de colle, sans en mettre trop ! Colle-les, une par une, sur les pages de droite de ton cahier. Attends que chaque page sèche avant de passer à la suivante.

❹ En face de chaque plante, à gauche, écris son nom, la date et l'endroit où tu l'as cueillie et ce que tu connais d'elle. Si tu ne sais pas son nom, tu pourras le chercher avec tes parents sur Internet ou dans un livre !

LA CHARTE DE L'AVENTURIER

Tout aventurier de la nature qui se respecte la connaît par cœur.

• J'ouvrirai grandes mes oreilles pour écouter le chant des oiseaux.

• Je ne crierai point trop fort pour ne pas effrayer les animaux.

• Je n'arracherai point les branches des arbres.

• Je ne piétinerai point les fleurs.

• Je ne salirai point la nature avec les emballages de mes goûters.

• Je ferai attention aux champignons et aux baies empoisonnés.

• Je porterai secours aux oiseaux blessés.

À CHAQUE FEUILLE SON ARBRE !

Regarde bien la forme de ces feuilles.
De quel arbre sont-elles tombées ?

1 Peuplier

2 Marronnier

3 Hêtre

4 Platane

5 Noisetier

6 Tilleul

a

b

c

d

e

f

Réponse : 1c, 2f, 3b, 4e, 5a, 6d.

L'aventurier campe

Prépare ton bivouac comme les cow-boys d'autrefois et apprends quelques astuces de survie en pleine nature !

Le matériel :

- 1 fil à linge ou 1 grosse ficelle
- 1 grande couverture bien épaisse
- 2 draps
- des pinces à linge
- des pierres
- 1 matelas en mousse

1. Repère deux arbres pas trop éloignés l'un de l'autre. Avec l'aide de papa, accroche solidement le fil au tronc ou à une branche basse du premier arbre. Tends-le le plus possible et fixe-le au second arbre.

2. Pose la grande couverture à cheval sur le fil. Il faut que ses deux pans touchent le sol. Maintiens-les avec les pierres.

3. Attache les draps à la couverture avec les pinces à linge, des deux côtés, pour boucher les ouvertures. Il te suffira de détacher un drap d'un côté pour entrer et sortir de ton abri.

4. Déplie ton matelas et installe-toi bien au chaud ! Dans ton bivouac, tu pourras faire la sieste aux heures chaudes ou même passer la nuit à la belle étoile, durant l'été !

Avant d'installer ton bivouac, n'oublie pas de nettoyer le sol des brindilles ou des cailloux qui l'encombrent.

Essaie de trouver un endroit abrité du vent et, si possible, oriente la porte de ton bivouac vers le sud, c'est-à-dire l'endroit du ciel où le soleil se trouve à midi, pour mieux recevoir ses rayons et chauffer ton abri.

APPRENDS À PRÉVOIR LE TEMPS !

Comme les Indiens et les cow-boys d'autrefois, observe la nature. Elle t'envoie des signes qui te permettent de deviner le temps qu'il fera.

Les hirondelles et les corneilles volent haut dans le ciel.
Les fourmis s'agitent dans tous les sens.
Les pommes de pin et les pissenlits s'ouvrent.
Les coccinelles butinent.
Le soir, la chouette hulule et les grenouilles coassent à tue-tête.
Les chauves-souris sortent en grand nombre.

= IL VA FAIRE BEAU !

Les oiseaux volent bas dans le ciel et se posent souvent.
Les fourmis se déplacent sagement en lignes.
Les abeilles regagnent leurs ruches.
Les chats font leur toilette tout le temps.
Les pommes de pin et les pissenlits se ferment.
Les poissons sautent hors de l'eau.

= IL VA FAIRE MAUVAIS !

À la rencontre des animaux

La plupart des animaux qui vivent dans la nature sont très farouches. Mais tu peux fabriquer une mangeoire pour attirer les oiseaux et en faire des amis !

Le matériel :

- 1 brique de jus de fruits vide, propre et sèche
- des ciseaux
- de la ficelle
- des graines pour oiseaux

❶ Avec les ciseaux et l'aide d'un adulte, pratique une grande ouverture rectangulaire sur deux faces opposées de la brique de jus de fruits. Mais ne détache pas la base des deux languettes.

❷ Plie ces deux languettes de chaque côté, vers l'extérieur, et coupe-les en laissant un petit rebord qui servira de perchoir aux oiseaux.

❸ Toujours avec les ciseaux et l'aide d'un grand, perce un trou au sommet de la brique. Passe de la ficelle à travers.

❹ Dispose les graines au fond de la brique, puis suspends-la à une branche d'arbre. Attention aux chats qui aiment croquer les oiseaux : place ta mangeoire en hauteur et au bout d'une ficelle suffisamment longue pour qu'ils ne puissent pas l'atteindre, ni depuis le sol ni depuis la branche !

ASTUCE DE PETIT ÉCOLO

Tu peux faire cadeau des fruits devenus trop mûrs aux oiseaux en les plaçant dans ton jardin ou sur le rebord de ta fenêtre. C'est une bonne façon de les recycler, au lieu de les jeter à la poubelle !

SUR LA TRACE DES ANIMAUX...

Quand tu te promènes, observe le sol et apprends à reconnaître les empreintes laissées par les animaux sauvages.

LE RENARD : ses traces ressemblent à celles d'un chien, mais ses doigts sont plus rapprochés.

LE CERF OU LA BICHE : ils ont deux gros sabots à l'avant, en forme de haricot, et deux petits à l'arrière qui ne s'impriment que sur la terre molle. Sur la terre dure, tu ne les verras pas.

LE SANGLIER : il a deux sabots griffus à l'avant et deux autres sur les côtés. Ses traces sont comme de drôles de chapeaux pointus !

L'ÉCUREUIL : ses empreintes ressemblent à des mains de sorcière !

LE LIÈVRE : lui, il a de grands pieds allongés !

LA BELETTE : elle a des tout petits petons ronds, à cinq griffes.

L'aventurier des bois

À présent que tu connais bien la nature, l'aventure peut vraiment commencer. Tel Robin des bois, équipe-toi de ton arc, de tes flèches et fonds-toi dans la forêt...

Le matériel :

- 1 branche fine et souple de noisetier de 1 m de long environ (pour l'arc)
- des petites branches fines de 40 cm environ (pour les flèches)
- du raphia (ou du fil de Nylon)
- des plumes
- 1 canif

1 Demande à papa de raboter toutes les branches au canif pour les rendre lisses. Ainsi tu ne t'écorcheras pas les mains en les manipulant. Toujours au canif, papa affine les deux extrémités de la longue branche, mais d'un côté seulement, pour ne pas fragiliser ton arc. Il peut aussi tailler tes flèches en pointe mais, dans ce cas, tu devras être très prudent en les utilisant !

2 Papa fait une entaille à chaque extrémité de la branche pour bien y fixer le raphia. Teste ton arc : il doit être à la fois souple et solide.

3 À toi de jouer à présent : attache un bouquet de plumes à l'extrémité de chacune de tes flèches avec le raphia. Voilà, tu es prêt pour la bataille !

LA BONNE TENUE

Pour te fondre dans le feuillage, il te faut un pantalon solide, marron ou vert, avec une veste chaude de la même couleur. Évite les vêtements amples qui s'accrochent aux branches et te ralentiront dans ta course.

Des bottines en cuir, un sac à dos qui te servira de carquois pour ranger ton arc et tes flèches et un bâton pour t'aider à marcher sur le sol mou de la forêt : **TU ES PARÉ !**

MON ANNIVERSAIRE
D'EXPLORATEUR

Chaque année, tu célèbres un grand événement :
le jour de ta naissance.

Tu as alors envie de réunir autour de toi tous ceux
que tu aimes. Tu as bien raison, car c'est une belle
preuve d'amitié ou d'amour. Mais à présent que
tu deviens plus grand, tu rêves d'une fête qui te
ressemble et tu veux participer à son organisation.
Lancer les invitations, décorer la maison, préparer
le gâteau et inventer des jeux...

Voici quelques idées pour transformer ta fête
d'anniversaire en véritable voyage dans l'espace
et dans le temps !

Le Grand Chef Martien organise

Pour ton anniversaire, tu vas inviter tous tes copains, et tes copines aussi, à un étrange voyage... dans l'espace ! Commence par fabriquer tes cartes.

❶ Dans le papier bleu, découpe des carrés de 22 cm de côté. Plie-les en deux : ce sont tes cartons d'invitation.

❷ Sur la feuille blanche, dessine un martien rigolo. Découpe ses contours.

❸ Utilise ce patron pour dessiner d'autres martiens sur le papier vert. Découpe-les.

❹ Fixe un martien avec le Scotch double face sur chaque carton. Colle les yeux sur son visage, des gommettes sur son corps et dessine une bouche au feutre noir.

❺ Découpe des bulles dans le papier jaune et fixes-en une au-dessus de chaque martien avec le Scotch. Écris une annonce en noir à l'intérieur des bulles.
Par exemple : « Je t'invite à mon anniversaire ! »

❻ Avec le feutre doré, dessine de petites étoiles autour des martiens. Puis rédige le texte détaillé de ton invitation à l'intérieur des cartons avant ta distribution !

Il te faut :

- du papier Canson bleu nuit, vert et jaune
- une feuille de papier blanc
- des gommettes jaunes
- des yeux mobiles
- du Scotch double face
- 1 feutre noir et 1 feutre doré
- des ciseaux
- 1 crayon à papier
- de la colle ordinaire

COMPTE À REBOURS

- J — 3 semaines : achète tout le matériel nécessaire avec tes parents.

- J — 2 semaines : prépare et distribue tes invitations, fabrique ta piñata (voir p. 56).

- J — 1 semaine : décore ta piñata.

- La veille : prépare le goûter.

- Le matin : finis de décorer le gâteau, gonfle les ballons et décore ta maison.

DRÔLES D'OVNI !

Pour décorer ta maison, déguise des ballons en Objets Volants Non Identifiés.

LE MATÉRIEL : des ballons, des gommettes, du papier vert, du fil de fer chenille, du Scotch double face et des feutres.

- Gonfle tes ballons et décore-les de gommettes multicolores.
- Dessine les yeux et la bouche avec les feutres.
- Découpe les oreilles dans le papier vert, fixe-les sur le ballon avec le Scotch.
- Torsade les chenilles et fixe-les au sommet du ballon, comme des antennes !

Qu'ils sont mignons ces personnages qui viennent d'une autre planète pour te souhaiter « BON ANNIVERSAIRE ! ».

Le Grand Chef Cuistot prépare

Pour tes copains, tu vas enfiler ton tablier et préparer un vrai goûter de l'espace !
Au menu : un gâteau bleu, une planète de bonbons et des météorites bien croustillantes...

Les ingrédients pour les météorites :

- **100 g de chocolat noir**
- **200 g de chocolat blanc**
- **du colorant alimentaire liquide de différentes couleurs** (vert, rose, bleu...)
- **200 g de corn flakes**

❶ Casse le chocolat noir en morceaux dans un bol. Fais la même chose avec le chocolat blanc que tu répartis dans autant de récipients que tu as de colorants.

❷ Demande à un adulte de mettre les chocolats à fondre au bain-marie ou au micro-ondes. Quand le chocolat blanc a fondu, ajoute quelques gouttes d'un des colorants dans chaque récipient. Mélange bien.

❸ Hors du feu, répartis les corn flakes dans les différents bols et mélange jusqu'à ce qu'ils soient complètement enrobés de chocolat.

❹ Avec une cuillère, moule des boules de corn flakes et dépose-les sur une assiette couverte de papier d'aluminium. Laisse-les refroidir au réfrigérateur pendant 30 minutes. Avec tes copains, tu vas bien te régaler !

LE MATÉRIEL :

- 1 bloc de polystyrène
- du papier d'aluminium
- des piques à brochette en bois
- des bonbons fantaisie (anneaux, crocodiles...)

Demande à un adulte de tailler le bloc de polystyrène en forme de demi-sphère (le fond doit être plat).

Recouvre-le de papier d'aluminium.

Pique des bonbons au bout des brochettes et plante-les dans la planète.

Dépose cette planète sur une assiette ou un plateau rond que tu peux aussi décorer selon ta fantaisie.

LE GÂTEAU DE L'ESPACE

Demande à maman de préparer un bon gâteau au chocolat. Toi, tu vas le décorer avec une sauce très bizarre...

LES INGRÉDIENTS :

- 50 cl de crème liquide légère
- du colorant alimentaire bleu
- 2 sachets de sucre vanillé
- des vermicelles en sucre

Maman bat la crème en chantilly.

Quand elle est bien prise, verse dessus le sucre vanillé et quelques gouttes de colorant.

Maman mixe de nouveau. Avec une spatule, étale cette crème sur ton gâteau refroidi.

Tu peux ajouter des vermicelles ou les décorations de ton choix.
Place le gâteau au frais en attendant l'heure du goûter.

Le Grand Chef Bricolo construit

Quinze jours avant la fête, fabrique une piñata intergalactique où tu cacheras plein de petits cadeaux pour tes copains.
Le jour J, vous vous amuserez à la détruire à grands coups de cuillères en bois !

Le matériel :

- **1 gros ballon de baudruche**
- **de vieux journaux**
- **de la peinture**
- **de la ficelle**
- **de la farine**

❶ Pour gonfler le ballon, ton Super-Papa-au-Souffle-Intergalactique peut t'aider.

❷ Prépare la colle de farine : mélange deux tasses de farine et dix tasses d'eau dans une casserole. Fais épaissir cette sauce à feu doux en remuant avec une cuillère en bois, pendant 10 minutes. Laisse-la refroidir.

❸ Découpe des bandes de papier journal de 5 cm de large. Avec tes mains, barbouille-les de la colle que tu viens de préparer, puis fixe trois ou quatre couches de papier superposées sur le ballon, sans recouvrir le sommet autour du nœud.

❹ Laisse sécher ta piñata quelques jours avant de dégonfler le ballon.

❺ Décore et peins ta piñata pour en faire un vrai vaisseau spatial. Remplis-la de bonbons, de cadeaux et de farine-poussière d'étoiles avant de la suspendre en hauteur avec la ficelle. Quel magnifique vaisseau de l'espace !

UNE AVALANCHE DE CADEAUX !

À ton anniversaire, tu vas recevoir plein de beaux cadeaux. C'est chouette d'en faire aussi à tes amis : ils seront très contents de cette petite attention.

Si tu invites des filles, prévois des bijoux fantaisie, des barrettes, des stickers.

Ajoute des bonbons, des confettis, des scoubidous, des serpentins...

À VOS CUILLÈRES !

La piñata doit être suspendue à la bonne hauteur : il faut que vous puissiez frapper dessus, en sautant et en tenant une cuillère à bout de bras.

Maman peut vous bander les yeux avec des foulards pour que ce soit encore plus amusant. Mais attention à ne pas vous faire mal : FRAPPEZ TOUJOURS VERS LE HAUT ET PAS DANS TOUS LES SENS !

57

Le Grand Chef Rigolo s'amuse

Tout est prêt ? Alors, que la fête commence ! Voici quelques idées de jeux tous plus extraterrestres les uns que les autres...

LE CONCOURS D'ÉPÉE LASER SPAGHETTI

Comme dans *La Guerre des étoiles*, organise des duels avec tes copains. Sauf qu'à la place d'une épée laser vous vous battez avec un spaghetti.

Celui qui casse sa pâte le premier, en touchant la poitrine de son adversaire, gagne 1 point !

LE TOUCHE-MOI ÇA

Maman cache des objets bizarres (orange ou raisin pelés, œuf dur écalé, spaghettis cuits froids...) dans des boîtes et les recouvre d'un torchon.

À tour de rôle, chaque joueur palpe les objets, les yeux bandés, et note sur une feuille le nom de ce qu'il a cru toucher.

À la fin, comparez les feuilles : celui qui a deviné le plus d'objets a gagné !

LE CHAMBOULE-TOUT DES P'TITS MARTIENS

Construis une tour de pots de yaourt vides sur une table. Glisse une bille dans un ballon et gonfle-le.

Depuis une ligne tracée sur le sol, essayez de renverser la tour avec le ballon.

PAS ÉVIDENT !

LA COURSE DE SPATIONAUTES

Forme des équipes de deux et trace un parcours, avec un point de départ et un point d'arrivée ; il peut y avoir des obstacles.

Au signal, chaque joueur entortille son coéquipier dans du papier toilette pour le faire ressembler à un spationaute.

Attention à laisser un petit espace pour les yeux et un autre pour le nez. Ensuite, chaque spationaute doit courir, ou plutôt sautiller, vers le point d'arrivée.

Quelle équipe sera la plus rapide ?

Achevé d'imprimer en mars 2010
par Toppan Leefung en Chine
Dépôt légal : avril 2010